LE CHAT BOTTÉ

Sentant sa mort venir, un meunier partagea ses biens
entre ses trois fils: l'aîné hérita du moulin, le second de
l'âne et le plus jeune du chat. Mais ce n'était pas un
chat ordinaire…

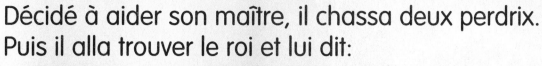

Décidé à aider son maître, il chassa deux perdrix.
Puis il alla trouver le roi et lui dit:
—Majesté, mon maître, le Marquis de Carabas,
m'a chargé de vous offrir cet humble présent.

Un jour où il apprit que le roi allait se promener avec sa fille au bord de la rivière, le chat ordonna à son maître de se baigner. Il cacha ses vêtements et, quand le carrosse passa, il cria:

–Au secours, au secours! Mon maître, le Marquis de Carabas, est en train de se noyer!

Le roi donna l'ordre de secourir le jeune homme. Le chat lui raconta que des bandits avaient volé ses habits puis l'avaient jeté dans la rivière. Le roi ordonna d'aller chercher des vêtements dignes du Marquis. La princesse, en le voyant si beau, s'éprit aussitôt de lui.

Le jeune homme monta dans le carrosse royal.
Pendant ce temps, le chat, parcourant la campagne
avec ses bottes de sept lieues, disait aux paysans:
–Si vous ne dites pas au roi que ces terres
appartiennent au Marquis de Carabas, vous aurez
affaire à moi!

Il arriva bientôt au château où vivait le véritable propriétaire de ces terres. C'était un magicien.

–On m'a dit, fit le chat, que vous avez le don de vous transformer en toutes sortes d'animaux.

–C'est vrai, dit le magicien. Et, pour le lui prouver, il se changea en un lion féroce.

–Ce n'est pas mal, dit le chat, mais
je suis sûr que vous n'êtes pas
capable de vous changer en un tout petit
animal, en souris, par exemple.
Le magicien éclata de rire et se changea
en une souris minuscule que le chat
dévora en un clin d'œil.
Au même instant, le carrosse du roi
arrivait devant le château.

–Bienvenus au château du Marquis de Carabas, dit le chat.
Les serviteurs s'inclinèrent devant leur nouveau maître. Le roi, impressionné par tant de richesses, pensa qu'il serait un bon parti pour sa fille.

La fille du roi épousa le Marquis de Carabas et ils furent très heureux. Ce beau rêve put se réaliser grâce au Chat Botté, qui continua à aider son cher maître de son mieux.

LES TROIS PETITS COCHONS
Les trois petits cochons habitaient
au cœur de la forêt. Le loup les
poursuivait constamment, car il
rêvait de les manger.

Pour se protéger du loup, les trois frères décidèrent de se construire une maison chacun. Le benjamin la fit en paille, car il voulait la terminer le plus vite possible et aller jouer.

Le cadet la construisit en bois. Voyant
que son petit frère avait terminé, il se
dépêcha de clouer les dernières
planches pour aller jouer avec lui.

L'aîné avait décidé de bâtir sa maison en briques.
–Vous avez eu tort de construire des maisons aussi peu solides! dit-il à ses frères.

Le loup poursuivit le benjamin,
qui courut se protéger dans
sa maison en paille.

Mais le loup souffla de toutes
ses forces et la maisonnette
en paille s'envola.

Le petit cochon courut se réfugier dans la maison en bois de son frère cadet.

Le loup souffla de toutes ses forces et la maisonnette en bois s'écroula. Les deux frères partirent en courant, poursuivis par le loup.

A bout de souffle, ils arrivèrent
chez leur frère aîné.

Les trois petits cochons
se réfugièrent dans la
maison en briques et
fermèrent portes et
fenêtres.

Le loup tourna autour de la maison
en briques, cherchant par où entrer.
Il prit une échelle et grimpa sur le
toit; puis il se laissa glisser par la
cheminée.

Mais l'aîné des trois frères avait mis à chauffer une marmite pleine d'eau. Le loup tomba dans l'eau et s'ébouillanta.

Il s'échappa en courant et en poussant de terribles hurlements. Et les animaux de la forêt disent que jamais, plus jamais, le loup ne voulut manger du cochon...